Magiczne baśnie

Tytuł oryginału: Cuentos magicos

Tekst polski: Anna Wiśniewska
Ilustracje: Javier Inaraja
Projekt graficzny: Marcela Grez
Projekt okładki: Tomasz Andziak
Redakcja: Agnieszka Płudowska

ISBN 978-83-63431-26-6

Wydawca:
Wydawnictwo Bukowy Las Sp. z o.o.
ul. Sokolnicza 5/76, 53-676 Wrocław
www.bukowylas.pl, e-mail: biuro@bukowylas.pl

Wyłączny dystrybutor:
Firma Księgarska Olesiejuk
Spółka z ograniczoną odpowiedzialnością S.K.A.
ul. Poznańska 91, 05-850 Ożarów Mazowiecki
tel. 22 721 30 11, fax 22 721 30 01
www.olesiejuk.pl

DTP: ThoT

Ta książka należy do

i jest prezentem od

_____

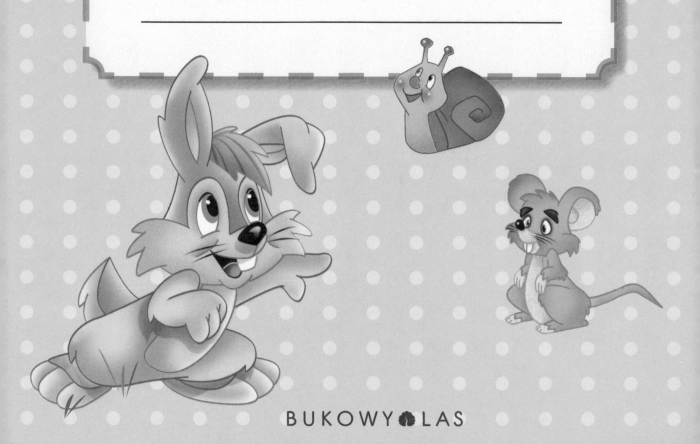

BUKOWY LAS

Każda z baśni, którą możesz przeczytać
w tej książce, ma w sobie odrobinę
magii. Znajdziesz tu niezwykłe historie
o zabawnych i tajemniczych postaciach,
pięknych królewnach i dobrych
wróżkach, zazdrosnych siostrach i złych
macochach. A każda bajka dobrze się
kończy. Puść więc wodze wyobraźni...

Królewna Śnieżka

W pewnym królestwie, we wspaniałym pałacu mieszkała śliczna królewna o imieniu Śnieżka. Kochali ją wszyscy poddani za jej dobroć, wdzięk i urodę. Nawet zwierzęta lubiły przebywać w jej towarzystwie.

W królestwie tylko jedna osoba źle jej życzyła, a była nią królowa – macocha królewny Śnieżki.

Królowa była równie zła, jak piękna. Miała magiczne lustro, któremu codziennie zadawała to samo pytanie:
– Czy jest na świecie ktoś piękniejszy ode mnie?
A lustro odpowiadało, że królowa jest najpiękniejsza.
Aż pewnego dnia królowa usłyszała, że to Śnieżka jest najpiękniejsza.

Wściekła macocha rozkazała słudze wyprowadzić królewnę do lasu i tam ją porzucić. Służący, zanim zostawił dziewczynkę w gęstwinie, poradził jej, by nigdy nie wracała do zamku i strzegła się złej macochy.

Biedna Śnieżka błąkała się po lesie, szukając schronienia. Wtem na wielkiej leśnej polanie dostrzegła śliczną małą chatkę. Zapukała do drzwi i weszła do środka.

A cóż to za dziwy!

W chatce wszystko było maleńkie!

Była głodna, więc zjadła maleńką bułeczkę
i z jednego kubeczka wypiła łyk mleka. A potem
zmęczona położyła się na jednym z siedmiu
malutkich łóżeczek i zasnęła. Gdy się obudziła,
zobaczyła stojących wokół niej siedmiu
krasnoludków.

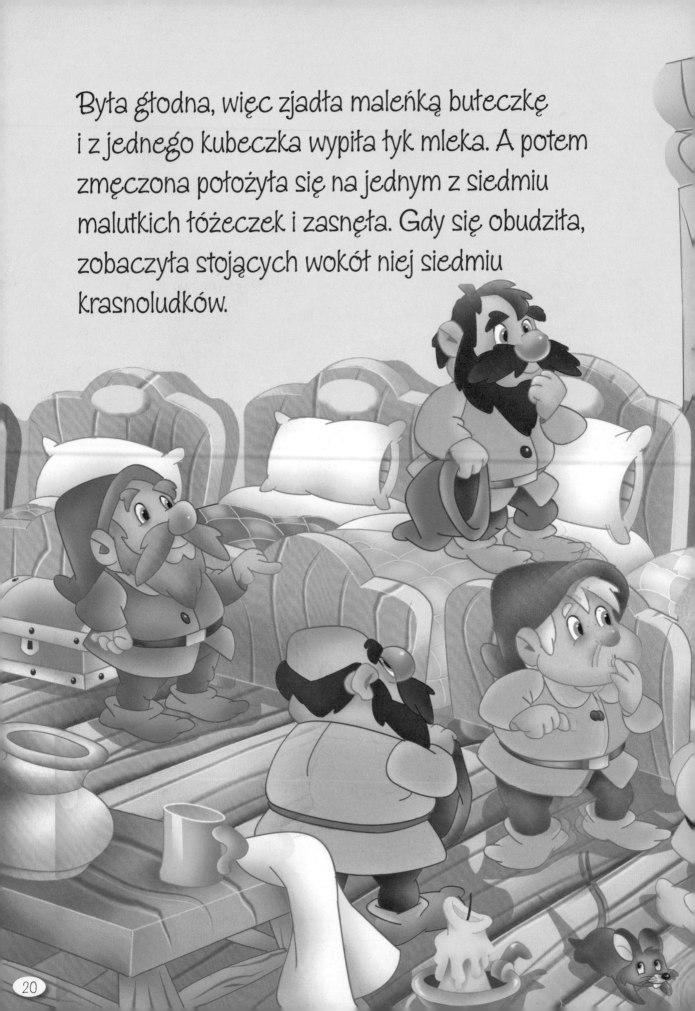

Dziewczynka opowiedziała im swoją smutną historię,
a oni pozwolili jej zostać w leśnej chatce.
Krasnoludki były dobre i miłe,
wdzięczna Śnieżka
prowadziła im
gospodarstwo.

Niestety, lustro zdradziło królowej,
że coraz piękniejsza Śnieżka mieszka w lesie
z krasnoludkami. Zazdrosna macocha zatruła
więc jedno jabłko, przebrała się za starą
handlarkę i poszła do lasu.

Łatwowierna Śnieżka ugryzła jabłko i padła na ziemię jak nieżywa! Smutne krasnoludki włożyły dziewczynę do szklanej trumny, którą postawiły na leśnej polanie.

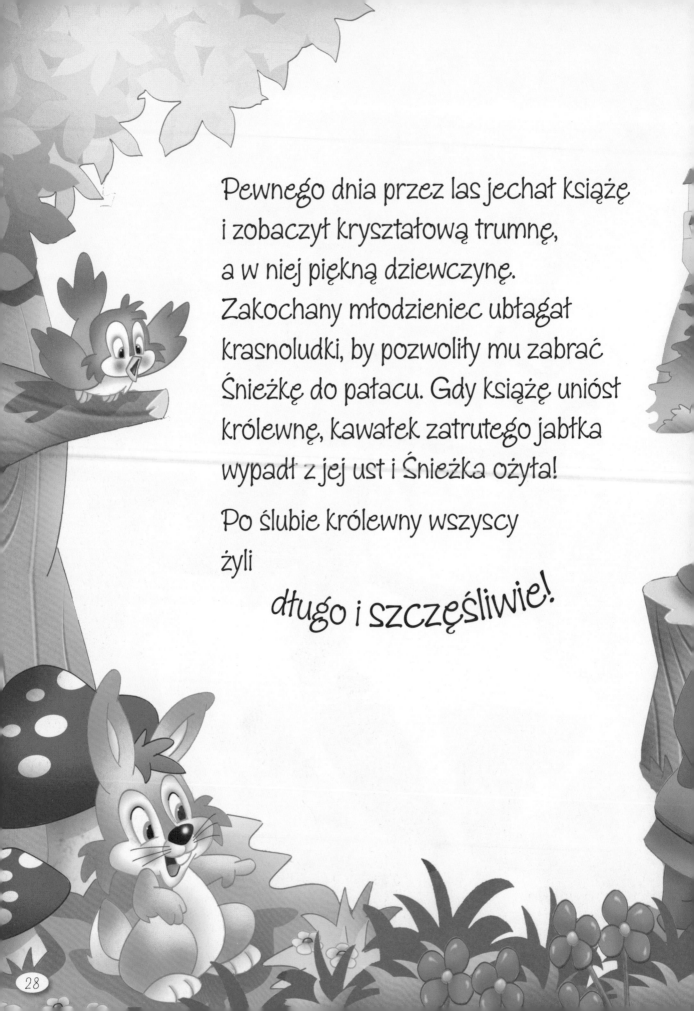

Pewnego dnia przez las jechał książę
i zobaczył kryształową trumnę,
a w niej piękną dziewczynę.
Zakochany młodzieniec ubłagał
krasnoludki, by pozwoliły mu zabrać
Śnieżkę do pałacu. Gdy książę uniósł
królewnę, kawałek zatrutego jabłka
wypadł z jej ust i Śnieżka ożyła!

Po ślubie królewny wszyscy
żyli

długo i szczęśliwie!

Czerwony Kapturek

W ślicznym domku na skraju wsi mieszkała pewna miła dziewczynka, którą wszyscy nazywali Czerwonym Kapturkiem, gdyż ciągle nosiła uszytą przez babcię czerwoną pelerynkę z kapturkiem.

Pewnego dnia mama poprosiła córeczkę, by zaniosła miód i ciasto chorej babci. Przestrzegła ją jednak, by była ostrożna, gdy będzie przechodzić przez las.

W lesie Czerwony Kapturek spotkał straszliwego wilka!
— Dokąd idziesz, śliczna dziewczynko? — zapytał wilk
słodkim głosem.
— Idę do chorej babci, która mieszka sama w leśnej chatce.
— Oj, to musisz koniecznie zebrać dla babci dużo
leśnych kwiatów! — zawołał.

Gdy dziewczynka zajęła się zbieraniem kwiatów,
wilk pognał do babcinej chatki.
Sprytny zwierz pobiegł skrótem, dotarł więc do
chatki przed dziewczynką. Zapukał do drzwi.

– Kto tam? – zapytała babcia.

Spryciarz, naśladując głos wnuczki, powiedział:

– Czerwony Kapturek.

Staruszka wpuściła go, lecz, widząc, jak bardzo się pomyliła, szybko schowała się w szafie.

Wilk nie pobiegł za babcią. Niedługo
miał się pojawić dużo smaczniejszy
i delikatniejszy kąsek. Chwilę
później dało się słyszeć
pukanie do drzwi.

Kapturek zbliżył się do łóżka, w którym leżał wilk, i zapytał:
– Babciu, dlaczego masz takie długie ręce?
– Żeby cię przytulić – odpowiedział wilk.

– A czemu masz takie wielkie zęby?
– Żeby cię zjeść! – krzyknął wilk, wyskoczył
z łoża i pognał za dziewczynką.

Czerwony Kapturek wybiegł z chatki,
a wściekły wilk pogonił za nim, przeraźliwie
wyjąc. Usłyszeli go myśliwi, którzy właśnie
tamtędy przechodzili. Jednym szybkim
strzałem ogłuszyli zwierza.

Babcia i wnuczka były już
bezpieczne! Długo dziękowały
myśliwym za ratunek. Później
myśliwi zanieśli wilka do zoo,
a Czerwony Kapturek
obiecał babci, że nie będzie

rozmawiał z nieznajomymi.

Kopciuszek

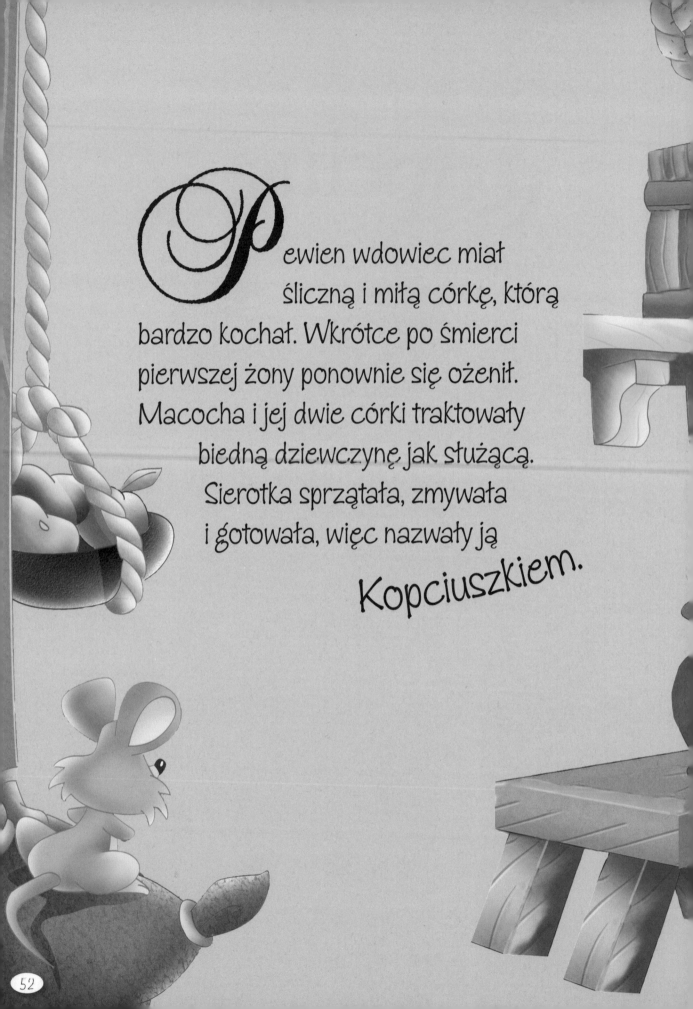

Pewien wdowiec miał
śliczną i miłą córkę, którą
bardzo kochał. Wkrótce po śmierci
pierwszej żony ponownie się ożenił.
Macocha i jej dwie córki traktowały
biedną dziewczynę jak służącą.
Sierotka sprzątała, zmywała
i gotowała, więc nazwały ją

Kopciuszkiem.

Któregoś dnia król wydawał wieki bal i zaprosił do pałacu wszystkie panny z królestwa. Biedna dziewczyna, prócz sprzątania i gotowania, musiała jeszcze pomóc siostrom w przygotowaniach! Bardzo chciała pójść z nimi, lecz ją wyśmiały.

Gdy Kopciuszek został sam, zjawiła się
wróżka, która jednym ruchem czarodziejskiej
różdżki zmieniła dynię w bogatą karocę,
myszy w rumaki, a łachmany dziewczyny
w piękną suknię balową.

Kiedy Kopciuszek był już gotowy, wróżka rzekła:
– Pamiętaj, o północy czar pryśnie i wszystko
wróci do dawnej postaci. Musisz opuścić pałac,
nim wybije dwunasta!

Kopciuszek podziękował wróżce i szczęśliwy wsiadł do karety. Zaprzęg białych rumaków powiózł dziewczynę do królewskiego pałacu.

Gdy Kopciuszek wszedł do sali balowej, od razu przykuł uwagę księcia, który pragnął tańczyć już tylko z nim. Nie było na sali piękniejszej panny.

Dziewczyna była tak szczęśliwa, że zupełnie zapomniała o mijającym czasie. Nagle wybiła dwunasta. Przerażony Kopciuszek uciekł bez pożegnania. Książę znalazł na schodach kryształowy pantofelek. Po nieznajomej nie było śladu.

Następnego dnia wszystkie panny próbowały włożyć pantofelek, by móc zostać żoną księcia. Jednak na żadną nie pasował... Na grube stopy przyrodnich sióstr też był za ciasny.

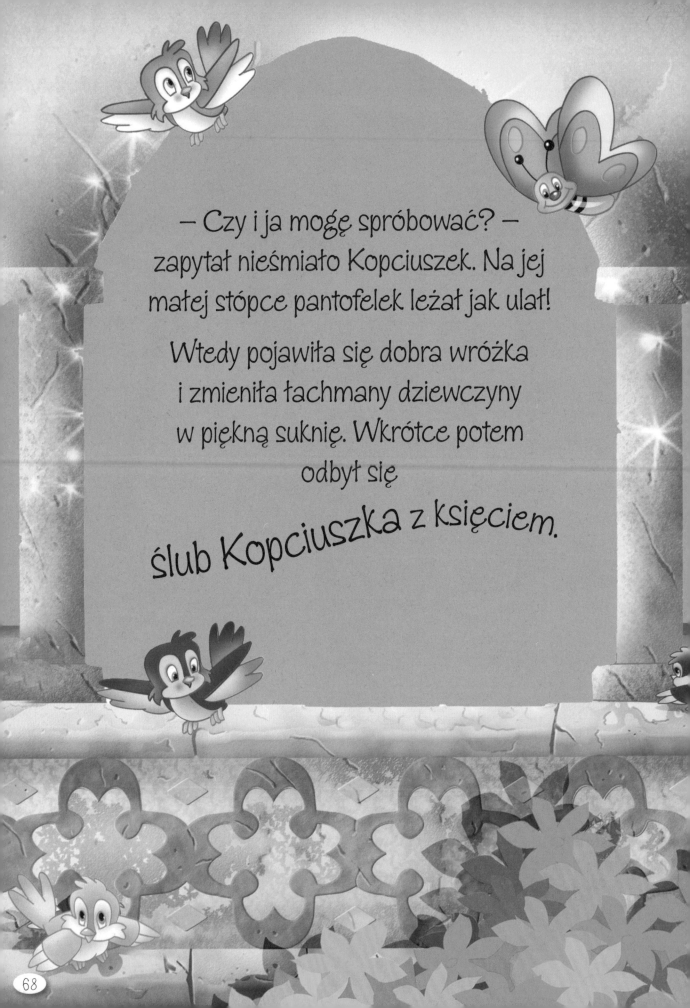

— Czy i ja mogę spróbować? — zapytał nieśmiało Kopciuszek. Na jej małej stópce pantofelek leżał jak ulał!

Wtedy pojawiła się dobra wróżka i zmieniła łachmany dziewczyny w piękną suknię. Wkrótce potem odbył się

ślub Kopciuszka z księciem.

Syrenka

aleko stąd, w największych głębinach mórz, gdzie woda jest czysta i przejrzysta, a rybki mienią się tysiącem barw, żył Król Mórz wraz ze swoimi córkami – syrenkami.

Wszystkie syrenki mogły pływać w oceanie, a nawet z bezpiecznej odległości obserwować ląd i ludzi, oprócz jednej – najmłodszej z sióstr.

Biedna mała syrenka nudziła się sama
w koralowym pałacu ojca, ale do piętnastych
urodzin musiało jej wystarczyć towarzystwo
rybek i zabawy z nimi w berka i w chowanego.

W końcu, w dniu piętnastych urodzin, syrenka mogła wypłynąć na powierzchnię oceanu. Los chciał, że stała się świadkiem burzy i zatonięcia statku, z którego udało jej się uratować pewnego księcia.

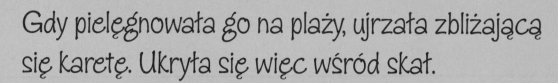

Gdy pielęgnowała go na plaży, ujrzała zbliżającą się karetę. Ukryła się więc wśród skał.

W karecie była córka króla, która rozkazała natychmiast zawieźć nieprzytomnego księcia do pałacu...

Zakochana syrenka została sama,
marząc o ponownym spotkaniu.

Postanowiła prosić o pomoc morską czarownicę.
Wiedźma, w zamian za cudowny głos syrenki,
obiecała jej parę ludzkich nóg.

Gdy tylko syrenka dotarła na brzeg morza, jej ogon przemienił się w nogi.

— Kim jesteś? — zapytał książę, gdy ją zobaczył. Syrenka nie mogła jednak odpowiedzieć.

Pobyt w pałacu ją uszczęśliwił.
Książę chętnie przebywał w jej
towarzystwie i traktował jak siostrę.
Pewnego dnia wyznał jej w sekrecie:
– Postanowiłem poślubić
księżniczkę, to ona
uratowała mi życie.

Biedna syrenka, widząc, że jej miłość nigdy
nie zostanie odwzajemniona, postanowiła
wrócić do swoich sióstr. Król zdjął czar
i zwrócił jej rybi ogon.

Do dziś, podczas pełni księżyca
syrenka wypływa na powierzchnię wody
i obserwuje przepływające statki,

myśląc o księciu.

Aladyn

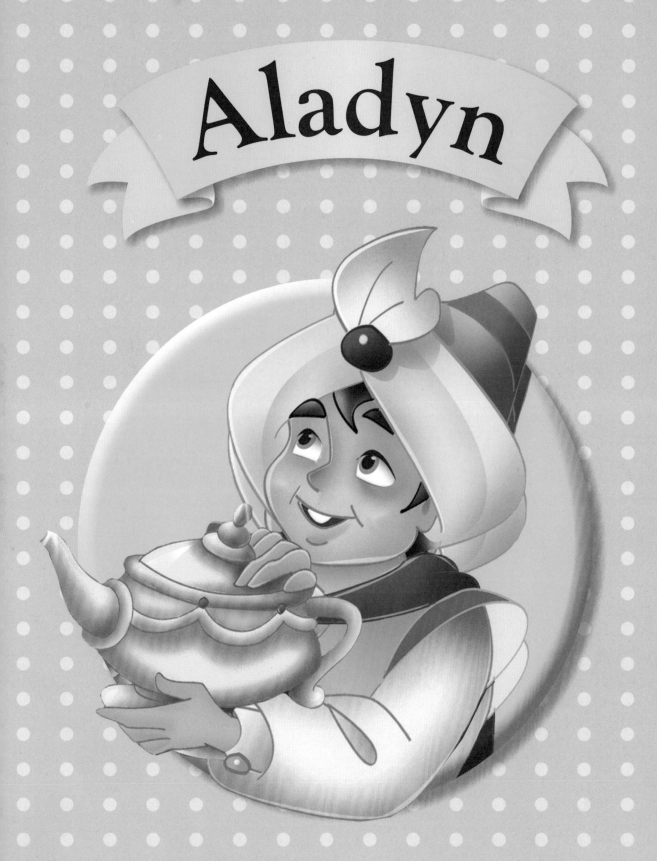

Dawno temu żyła sobie biedna wdowa. Jej syn miał na imię Aladyn i był wyjątkowo beztroskim i leniwym chłopcem. Pewnego dnia do ich domu zapukał afrykański czarownik przebrany za kupca. Przedstawił się jako ich krewny i zaproponował, że da chłopcu woreczek złota, jeśli z jaskini Aladyn wyniesie starą lampę.

Wkrótce dotarli na pustynię.
Czarownik jednym zaklęciem
otworzył ukryte przejście
i poprosił, aby Aladyn zszedł
do jaskini. Przestrzegł też

chłopca, by nie zwracał uwagi na klejnoty
i drogie kamienie, wziął lampę i

niezwłocznie wrócił.

Chłopiec posłusznie wszedł do jaskini, gdzie znalazł starą lampę. Gdy poprosił czarownika, by pomógł mu wyjść z głębokiej groty, ten zażądał, by chłopak najpierw podał mu lampę. Aladyn domyślił się, że to podstęp, i odparł, że, póki nie wydostanie się na powierzchnię, nie odda lampy.

Czarownik zostawił go w jaskini i zniknął.

Aladyn zrozumiał, że nie powinien ufać czarownikowi.
Przez przypadek potarł lampę ręką i nagle z jej
środka wyskoczył dżin i rzekł: — Jestem twoim sługą.
Mów, czego żądasz.

Aladyn poprosił, aby dżin zabrał go do domu. Duch
lampy natychmiast spełnił jego prośbę.

Gdy dotarli do domu, dżin wykonywał wszystkie rozkazy i wkrótce Aladyn zamieszkał w pałacu pełnym bogactw i poślubił piękną księżniczkę o imieniu Jasmina. Wszyscy podziwiali

jego majątek.

Opowieści o bogactwie Aladyna
dotarły do Afryki. Czarownik pojął,
że chłopak zawdzięcza swój majątek
lampie. Przebrał się za sprzedawcę
i namówił służącą Aladyna, aby
wymieniła starą lampę na nową.
Kobieta, nieświadoma mocy lampy,
zgodziła się na wymianę.

Gdy lampa znalazła się w rękach czarownika, porwał Jasminę i rozkazał dżinowi, by zabrał ich do Afryki. Dżin posłusznie wykonał rozkaz nowego właściciela lampy. Wówczas Aladyn przywołał innego dżina, zaklętego w pierścieniu, i poprosił o pomoc.

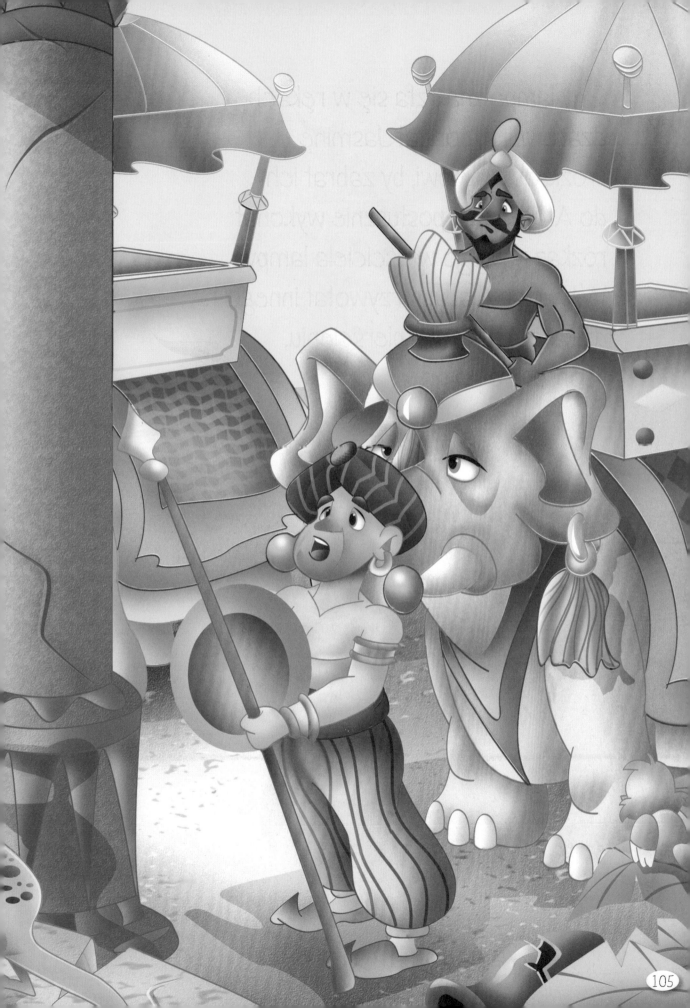

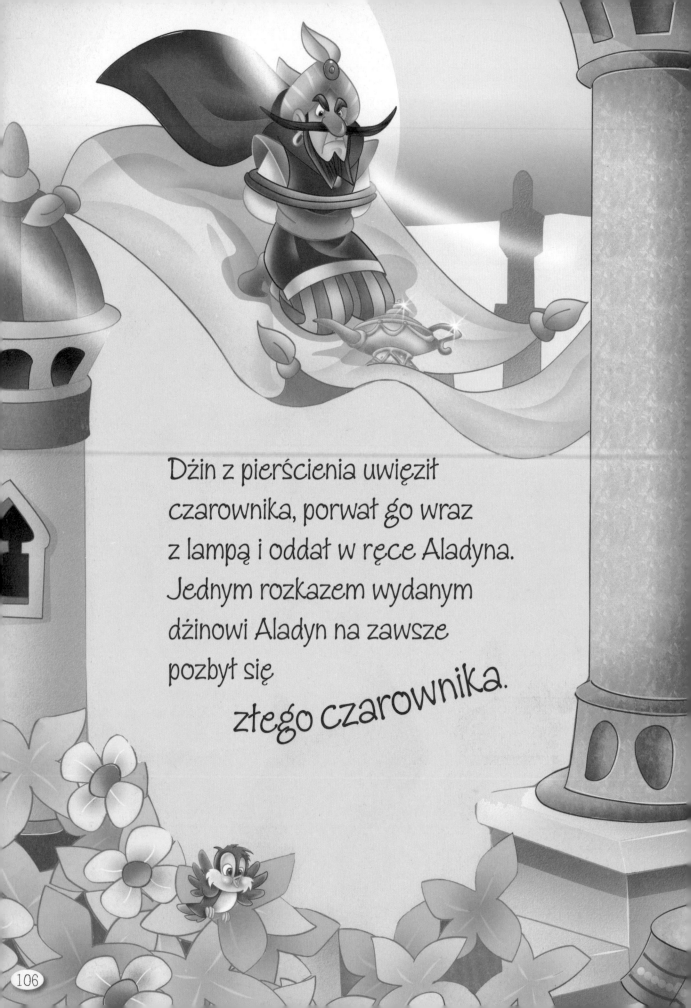

Dżin z pierścienia uwięził
czarownika, porwał go wraz
z lampą i oddał w ręce Aladyna.
Jednym rozkazem wydanym
dżinowi Aladyn na zawsze
pozbył się

złego czarownika.

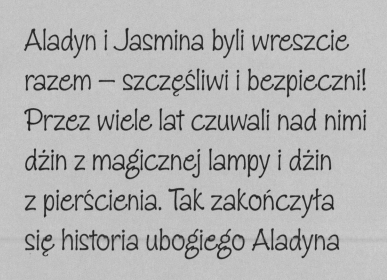

Aladyn i Jasmina byli wreszcie
razem – szczęśliwi i bezpieczni!
Przez wiele lat czuwali nad nimi
dżin z magicznej lampy i dżin
z pierścienia. Tak zakończyła
się historia ubogiego Aladyna

i pięknej księżniczki Jasminy
oraz cudownej lampy!

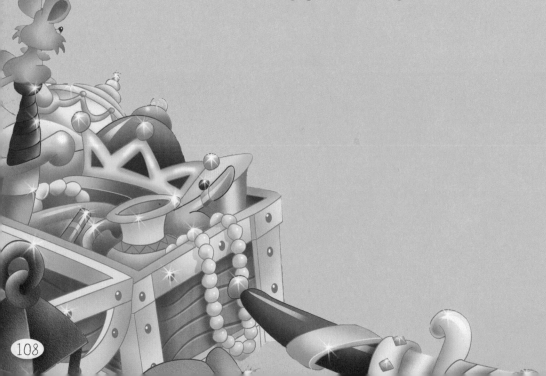

Pinokio

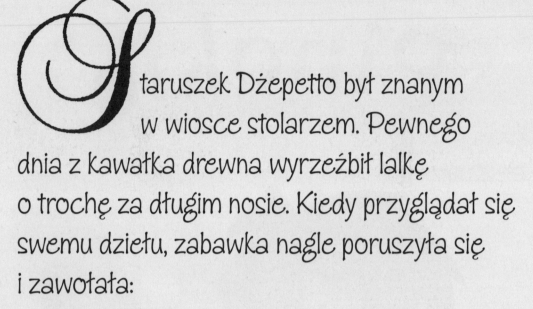

Staruszek Dżepetto był znanym w wiosce stolarzem. Pewnego dnia z kawałka drewna wyrzeźbił lalkę o trochę za długim nosie. Kiedy przyglądał się swemu dziełu, zabawka nagle poruszyła się i zawołała:

– Dzień dobry!

Zachwycony Dżepetto nazwał swą drewnianą lalkę Pinokio.

Mały świerszcz wychylił głowę zza komina.

– Kri, kri! – śpiewał. – Ale ładny drewniany chłopczyk!

Następnego dnia Dżepetto
postanowił posłać Pinokia do szkoły.
— Musisz się uczyć jak inne dzieci.
Pinokio w drodze do szkoły spotkał lisa i kota.
— Chodź z nami do cyrku! — zachęcali dwaj
spryciarze. I Pinokio dał się skusić.

Gdy tylko weszli do środka, Pinokio natychmiast zapomniał o biednym Dżepetto. Właściciel cyrku postanowił zatrudnić niezwykłą lalkę. Pinokio śpiewał i tańczył ku wielkiemu zadowoleniu publiki. W nagrodę dostał pięć złotych monet.

Pinokio szybko wyruszył do domu. Wiedział,
że Dżepetto od dawna na niego czeka.
I nagle znowu wpadł na lisa, który opowiedział mu
o magicznym miejscu, gdzie można pomnożyć
monety wsadzone do ziemi.

Gdy dotarli do ukrytej w lesie polanki, dwaj
oszuści – lis i kot – związali Pinokia i ukradli
mu złoto. Niepocieszony pajacyk zaczął płakać.
Uratował go świerszcz, który wezwał na pomoc
Błękitną Wróżkę.

Łatwowierny Pinokio musiał obiecać wróżce, że już nigdy nie opuści lekcji i nie będzie słuchał złych rad sprytnych oszustów.

Następnego dnia Pinokio zobaczył na drodze wóz pełen rozradowanych dzieci. Chłopcy powiedzieli mu, że jadą do Krainy Zabawek.
— Jedź z nami — zawołali.
I pajacyk znowu uległ namowom, pomimo protestów świerszcza.

Życie w tej krainie polegało tylko na zabawie. Pinokio bawił się i bawił, aż wyrosły mu wielkie oślе uszy. Ze wstydu zaczął płakać, a wróżka przywróciła mu dawny wygląd. Pajacyk wrócił do domu, ale nie zastał w nim Dżepetta. Pewien rybak powiedział, że staruszek wyruszył na poszukiwanie Pinokia i połknął go wieloryb. Pajacyk zbudował tratwę i po wielu trudach uratował Dżepetta.

Płynęli i płynęli, aż dotarli do brzegu, wtedy Pinokio obiecał:

— Nigdy cię już nie opuszczę! Będę grzecznym i rozsądnym chłopcem i pójdę do szkoły, by wyrosnąć na mądrego człowieka! — przyrzekał.

Gdy tylko to powiedział, obok pojawiła się wróżka.

— Byłeś bardzo niesfornym chłopcem, ale masz dobre serce. Od tej chwili będziesz prawdziwym chłopcem.

Ależ Dżepetto i Pinokio byli szczęśliwi!

Bambi

ℙewnego wiosennego dnia
na leśnej polance przyszedł
na świat śliczny mały jelonek, któremu dano
na imię Bambi. Mama pokazywała mu świat
i uczyła go samodzielności.

Jelonek zaprzyjaźnił się z leśnymi zwierzątkami,
a najbardziej z wiewiórką i zajączkiem.

Codziennie bawili się razem i psocili,
biegając po lesie!

Bambi najbardziej lubił przebywać
z sarenką Falinką i razem z nią oglądać
las. A gdy nadeszła zima, poznał
zabawy na śniegu i lodzie.

Ileż było śmiechu, gdy po raz pierwszy
ślizgał się na zamarzniętym leśnym
stawie!

Wraz nadejściem zimy w lesie pojawili się myśliwi. Okrutni ludzie ranili mamę Bambiego.

– Uciekaj, synku! Uciekaj! – wołała mama ostatkiem sił.

Jelonkowi udało się uciec przed ludźmi i ich psami.

Biedne, samotne maleństwo pocieszały
wszystkie leśne zwierzątka. Aż nagle
na środku polany stanął wielki jeleń
– ojciec Bambiego.

– Jesteś już duży! Musisz dać sobie radę.
Ja ci pomogę – powiedział.

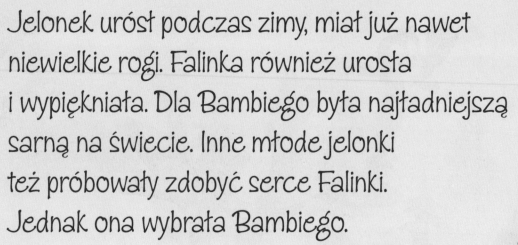

Jelonek urósł podczas zimy, miał już nawet
niewielkie rogi. Falinka również urosła
i wypiękniała. Dla Bambiego była najładniejszą
sarną na świecie. Inne młode jelonki
też próbowały zdobyć serce Falinki.
Jednak ona wybrała Bambiego.

Pewnego dnia, biegając z Falinką po lesie, Bambi
usłyszał wołanie:

– Uciekajcie, las płonie!

Wszystkie zwierzęta umykały w popłochu,
by znaleźć się jak najdalej od płomieni.

Wówczas na czele mieszkańców lasu stanął
Książę Lasu – ojciec Bambiego, który
poprowadził zwierzęta w stronę rzeki.
Tu było bezpiecznie.

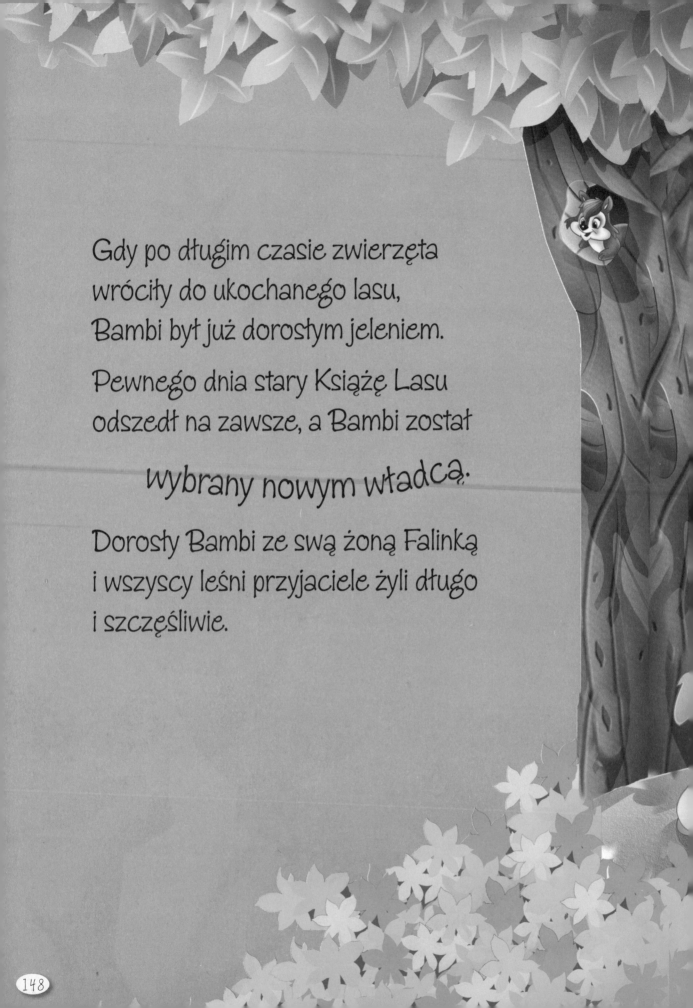

Gdy po długim czasie zwierzęta
wróciły do ukochanego lasu,
Bambi był już dorosłym jeleniem.

Pewnego dnia stary Książę Lasu
odszedł na zawsze, a Bambi został

wybrany nowym władcą.

Dorosły Bambi ze swą żoną Falinką
i wszyscy leśni przyjaciele żyli długo
i szczęśliwie.

Jaś i Małgosia

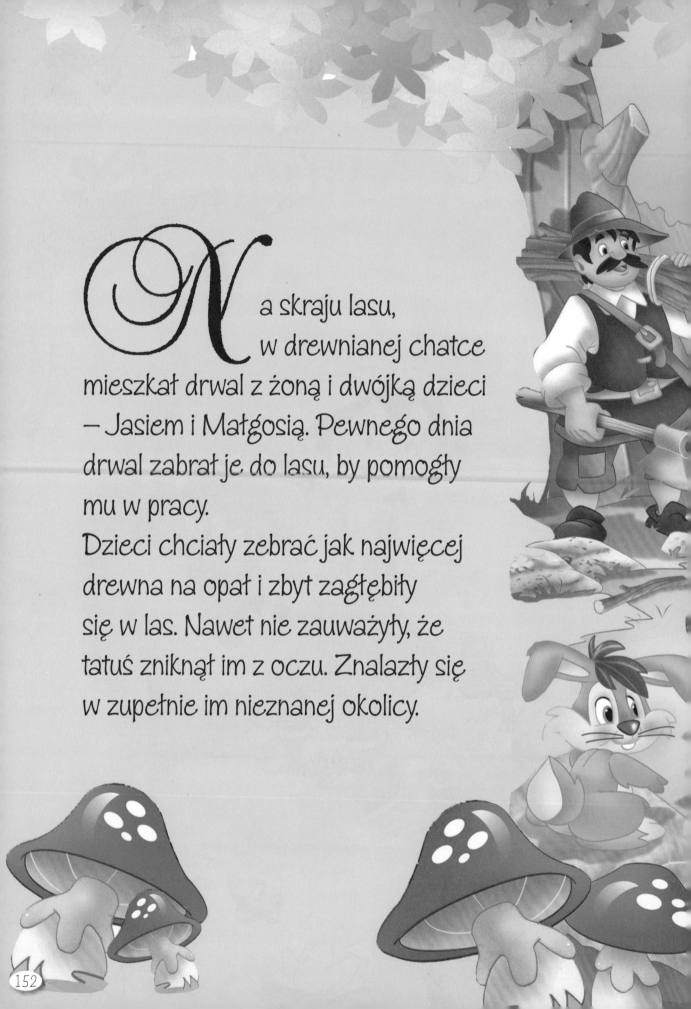

Na skraju lasu,
w drewnianej chatce
mieszkał drwal z żoną i dwójką dzieci
– Jasiem i Małgosią. Pewnego dnia
drwal zabrał je do lasu, by pomogły
mu w pracy.

Dzieci chciały zebrać jak najwięcej
drewna na opał i zbyt zagłębiły
się w las. Nawet nie zauważyły, że
tatuś zniknął im z oczu. Znalazły się
w zupełnie im nieznanej okolicy.

Nadeszła noc, a dzieci
nie znalazły drogi do domu. Były przerażone
i głodne. Wkrótce przybiegły leśne zwierzęta,
by zobaczyć, cóż to za dzieci samotnie
spędzają noc w lesie.

Gdy nastał ranek, Jaś i Małgosia dotarli
do małego domku. Jakież było ich zdziwienie,
gdy się okazało, że jest zrobiony z czekolady.
Dach był z piernika, okna z cukru, a drzwi
z marcepanu. Dzieci były szczęśliwe, widząc
tyle smakołyków.

Gdy właśnie zajadały się
w najlepsze, drzwi się otworzyły
i z chatki wyszła staruszka.
– A któż to zjada mój domek? –
spytała słodkim głosem. –
Oj, biedne dzieci. Wejdźcie do
środka, to was nakarmię.

Ale gdy dzieci znalazły się w środku, staruszka stała się Babą-Jagą, wsadziła Jasia do klatki, a Małgosi kazała pracować.

Codziennie dziewczynka musiała gotować, sprzątać
i karmić swego brata. Każdego wieczora wiedźma
zbliżała się do klatki z Jasiem, mówiąc:
— Pokaż rękę, zobaczymy, czy w końcu
przybrałeś na wadze.
Starucha miała zamiar utuczyć chłopca,
a potem go zjeść.

Jaś wykorzystywał fakt, że czarownica ma słaby wzrok, i zamiast ręki podawał kostkę kurczęcia. Baba-Jaga nie mogła zrozumieć, jak to możliwe, że chłopiec tyle je, a ciągle jest chudy. Pewnego dnia powiedziała:
— Nie będę dłużej czekać!

Rozkazała Małgosi rozpalić w piecu. Ale dzieci nie czekały, aż zapłonie ogień, tylko wepchnęły jędzę do pieca i zamknęły drzwiczki. Chwyciły skrzynkę ze złotem i wybiegły z czekoladowej chatki.

Nagle przed chatką pojawiła się
dzika gęś, która wzięła dzieci
na grzbiet i wzleciała w niebo.
Nie minęło wiele czasu, a dzieci
dostrzegły w dole swój dom,
a przed nim rodziców.
Jaś i Małgosia uściskali mamę
i tatę i opowiedzieli, co się wydarzyło.
Dzieci podarowały rodzicom
znalezione w chacie wiedźmy
kosztowności. Od tej pory rodzina
nie cierpiała już biedy

i wszyscy żyli długo
i szczęśliwie.

Trzy małe świnki

Były sobie trzy świnki. Kiedy dorosły, postanowiły opuścić rodzinny dom i zbudować własne chatki.

Pełne optymizmu świnki wyruszyły do lasu, by znaleźć odpowiednie miejsce na budowę. Nie wiedziały jednak, że zza drzew ktoś je obserwuje! Każdy ich krok śledził groźny wilk, który mieszkał w pobliżu.

Pierwsza świnka była tak leniwa, że skleciła swą chatkę byle jak ze słomy. Młodsi bracia ostrzegali, że słomiany domek nie jest trwały

i bezpieczny, ale na próżno.

Druga świnka, bardziej od pierwszej pracowita, zbudowała chatkę z drewna. Była lepsza od słomianej, ale też niezbyt solidna.

Trzecia świnka pracowała tak długo i wytrwale,
aż postawiła murowany domek. Była bardzo
dumna ze swojego dzieła — jej chatka była ładna,
solidna i bezpieczna.

Gdy już stanęły trzy domki, głodny wilk zjawił się przed słomianą chatką.
— Wpuść mnie! — zawołał groźnie.
Świnka nie chciała go wpuścić, więc wilk zdmuchnął chatkę, a świnka umknęła do domku brata.

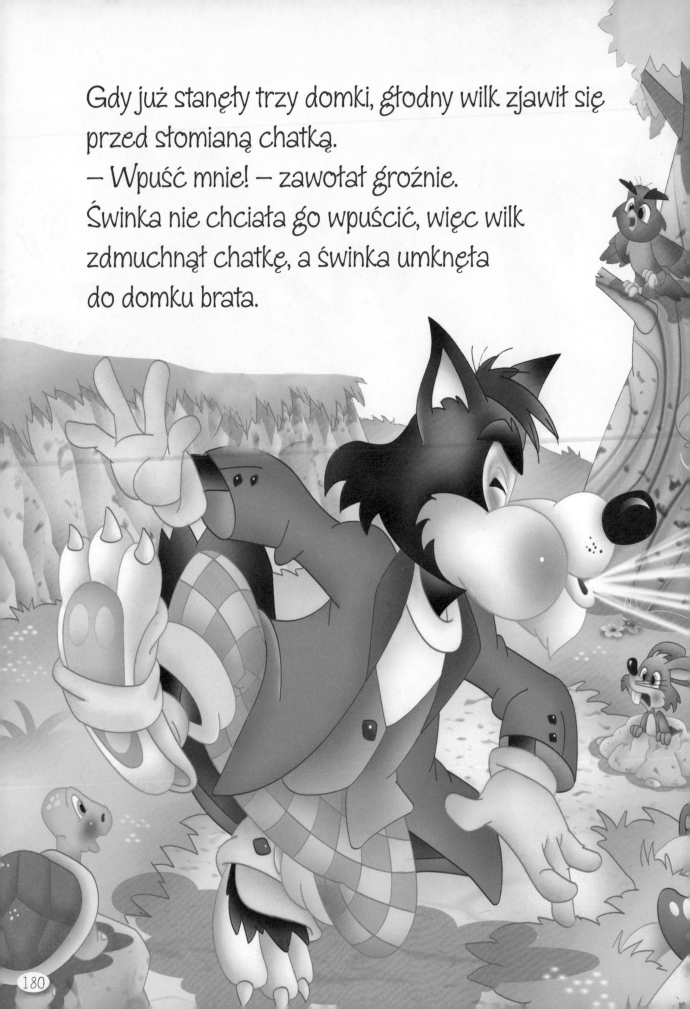

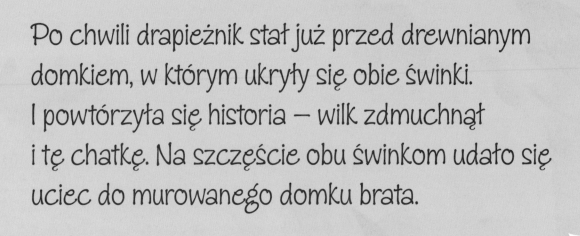

Po chwili drapieżnik stał już przed drewnianym
domkiem, w którym ukryły się obie świnki.
I powtórzyła się historia — wilk zdmuchnął
i tę chatkę. Na szczęście obu świnkom udało się
uciec do murowanego domku brata.

Wilk stanął przed trzecią chatką.
— Wpuście mnie! — zawołał. Dwie świnki bardzo się przestraszyły, ale trzecia wiedziała, że ma solidny dom.

Odmówiła więc wilkowi.

Ponieważ nic nie pomogło dmuchanie, wilk próbował wejść do środka przez komin i... trafił wprost do kociołka z wrzącą zupą.

Rozległo się głośne wycie wilka, który
z poparzonym ogonem wybiegł z chatki
trzeciej świnki. Łakomczuch uciekł,
gdzie pieprz rośnie, a świnki się śmiały.

Dwaj leniwi bracia zbudowali murowane
domki, a wilk już nigdy nie pokazał się
w tej okolicy.

Odtąd świnki były bezpieczne
i szczęśliwe.

Brzydkie kaczątko

Pewnego pięknego wiosennego poranka ze wszystkich jajek mamy kaczki wykluły się śliczne żółciutkie kaczuszki. Ze wszystkich oprócz jednego, z którego wyszło jakieś większe i szare pisklę.

Wszystkie zwierzęta wyśmiewały małego
brzydala, aż któregoś dnia oświadczyły,
że kaczorek nie może z nimi mieszkać.
Mama kaczka próbowała go bronić.
Na próżno.

Brzydkie kaczątko wyruszyło w świat, by znaleźć nowy dom. Po drodze spotkało stadko dzikich kaczek i przez chwilę poczuło się raźniej. Nagle pojawili się myśliwi. Dały się słyszeć pierwsze strzały i ptaki odleciały w popłochu.

Nadeszła mroźna i śnieżna zima.
Brzydkie kaczątko strasznie marzło
i było bardzo głodne. Jedynymi jego
towarzyszami były leśne zwierzątka.

Gdy tak wędrowało zziębnięte i smutne,
w oddali ujrzało domek. Podeszło bliżej,
mając nadzieję, że właściciele je przygarną.
I tak kaczątko znalazła gospodyni.

Niestety, rozpieszczony kot staruszki był strasznie zazdrosny: „Jeszcze pani je polubi i nie będzie mnie już kochała" – myślał. Biedne kaczątko i tu nie znalazło spokoju.

Gdy nadeszła wiosna, kocur wypędził kaczątko
z domu staruszki. Biedactwo znowu musiało
uciekać, porzucając dotychczasowe schronienie.

Minęło trochę czasu i brzydkie kaczątko bardzo urosło. Zamieszkało w pięknym parku. Zażywało właśnie kąpieli w stawie, gdy podpłynęły

do niego wspaniałe **łabędzie.**

Onieśmielone widokiem cudnych ptaków, schyliło głowę. Spojrzało na swoje obicie w wodzie i zobaczyło, że wyrosło na wspaniałego łabędzia.

Przestało być brzydkim kaczątkiem! Miało teraz własną rodzinę – stado królewskich ptaków.

Po raz pierwszy w życiu było szczęśliwe!

Kot w butach

Był sobie raz pewien stary młynarz. Przed śmiercią oddał cały swój dobytek trzem synom. Najstarszemu przypadł młyn, średniemu osioł, a najmłodszemu kot.

Młynarczyk począł narzekać na niesprawiedliwy los.

– Potrafię uczynić cię bogatym. Daj mi kapelusz, buty i worek, a sam się przekonasz – rzekł kot. Chłopiec się roześmiał, ale dał mu to, o co prosił. Wówczas kot zarzucił worek na plecy i pożegnał młynarczyka.

Chwilę później, z upolowanym królikiem
w worku, kot w butach skierował się w stronę
pałacu. Poprosił służbę o spotkanie z królem
i ofiarował władcy zdobycz w imieniu swego
pana – markiza de Karabasa.
W ciągu kolejnych dni
przynosił zadowolonemu
władcy podobne prezenty.

Pewnego dnia, widząc jadącą w stronę rzeki królewską karocę, kot polecił młynarczykowi, by się rozebrał i wskoczył do wody. Gdy król nadjechał, kot zaczął wzywać pomocy dla tonącego markiza. Władca rozkazał pomóc młodzieńcowi i dać mu nowe odzienie. Potem zaproponował podwiezienie do domu.

Kot pobiegł przodem, prosząc napotkanych chłopów, by na pytanie, do kogo należą pola, wymienili nazwisko markiza. W zamian obiecał pozbyć się olbrzyma, który władał okolicą.

Zachwycony bogactwem markiza
król zapragnął oddać mu rękę swej
córki.

W tym czasie kot biegł już
do zamku olbrzyma, który znany był
z okrucieństwa i czarów. Stanąwszy
przed czarownikiem, rzekł:
— Wiem, że z łatwością umiesz
zmienić się w lwa, lecz
nie uwierzę, że uda ci się
zmienić w coś malutkiego,
na przykład
myszkę!

Olbrzyma rozbawił fakt, że mały kotek śmie z nim rozmawiać. Nie podejrzewając podstępu, w sekundę stał się myszką. Na to tylko czekał kot! Szybko złapał mysz i ją pożarł. A był już najwyższy czas, by pozbyć się pana zamku, bo na dziedziniec wjechała królewska kareta.

Sprytny kot wyszedł królowi i królewnie na spotkanie. Następnie pokazał im zamek markiza de Karabasa i ugościł przysmakami ze stołu olbrzyma. Zachwycony władca nie miał już wątpliwości, że młynarczyk, którego brał za markiza, będzie najlepszym mężem dla królewny.

Królewna, której miły młodzieniec bardzo przypadł do serca, natychmiast się zgodziła. I tak, dzięki sprytowi kota w butach, syn młynarza został bogatym panem, dokładnie tak, jak mu to obiecało kocisko ojca. Wdzięczny młynarczyk mianował kota królewskim szambelanem.

I żyli długo i szczęśliwie!

Wilk i siedmioro koźlątek

P ewna mądra kozia mama miała
siedmioro dzieci. Razem ze
swymi koźlętami mieszkała w uroczej leśnej
chatce. Pewnego dnia, przed wyjściem
do miasta, powiedziała:

— Podczas mojej nieobecności nie
wpuszczajcie nikogo do domu. W okolicy
grasuje zły wilk, który chętnie by was zjadł.

Ma gruby głos
i czarne łapy!

Dzieci były grzeczne i bardzo rezolutne,
a najsprytniejsze było najmłodsze koźlątko.
Kiedy więc wilk zapukał do drzwi, udając mamę,
kazało mu pokazać łapę.

— To łapa wilka, nasza mama ma białą
sierść! — zawołało koźlątko na widok
czarnej łapy.

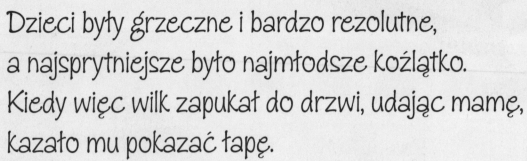

Wilk co tchu pognał do młyna. Tam zanurzył łapy w mące i pobiegł z powrotem do koziej chatki. Wsunął swe ubielone łapy przez okienko, by przekonać koźlęta, że ich matka wróciła z miasta.

Tym razem dzieci uwierzyły, że to mama wróciła do domu, i otworzyły drzwi. Na widok wilka koźlęta uciekały i kryły się za meblami, lecz on pochwycił sześcioro i zjadł. Umknął tylko najmłodszy koziołek, bo schował się w skrzyni zegara.

Kiedy mama wróciła z miasta, na spotkanie wybiegł najmłodszy synek i opowiedział, co się wydarzyło. Koza zaczęła szukać wilka, bo miała nadzieję, że łakomczuch połknął dzieci w całości i uda się je uratować.

Wkrótce znalazła wilka śpiącego pod drzewem. Chwyciła nożyce, rozcięła brzuch wilczyska i uwolniła swoje koźlęta.
— Przynieście mi, dzieci, mnóstwo polnych kamieni. Potrzebne też będą mocne nici i dobra igła.

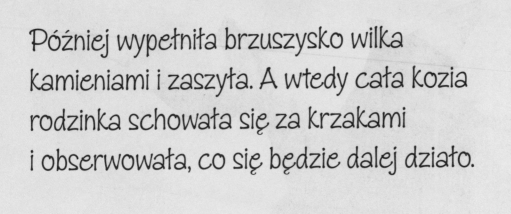

Później wypełniła brzuszysko wilka
kamieniami i zaszyła. A wtedy cała kozia
rodzinka schowała się za krzakami
i obserwowała, co się będzie dalej działo.

Wilk się obudził. Kamienie ciążyły mu w brzuchu. Poczuł ogromne pragnienie, więc poczłapał w stronę rzeki. Kiedy pochylił się, aby się napić, wpadł do wody.

Odtąd nigdy już nie pojawił się w pobliżu koziego domostwa.

Mama koza i jej siedmioro koźlątek już nie musiały się obawiać groźnego wilka. Cała rodzinka żyła w szczęściu i spokoju. A koźlęta zapamiętały, że...

warto słuchać przestróg mamy.

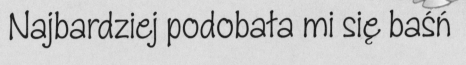

Najbardziej podobała mi się baśń

gdyż

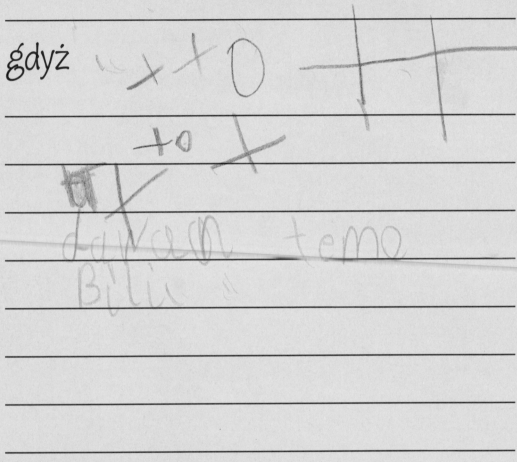

Moim ulubionym bohaterem jest

_____

gdyż

_____

_____

_____

_____

_____

_____

_____

_____

Spis treści